TABLE DES MATIÈRES

MATHÉMATIQUES

JOSÉE **HAMEL**
LUC **AMYOTTE**

AIDE-MÉMOIRE
CALCUL **DIFFÉRENTIEL**

ERPI

1611, boulevard Crémazie Est, 10e étage
Téléphone: 514 334-2690
Télécopieur: 514 334-4720
information@erpi.com
erpi.com

Dépôt légal – Bibliothèque et Archives nationales du Québec, 2024
Dépôt légal – Bibliothèque et Archives Canada, 2024

Imprimé au Canada

1234567890 M 27 26 25 24
ISBN 978-2-7661-5736-5 (PRJ009583)

Ce projet est financé en partie par le gouvernement du Canada | Canada

I SYMBOLES

Symbole	Sens
$\mathbb{N}$	Entiers naturels
$\mathbb{N}^*$	Entiers positifs (supérieurs à 0)
$\mathbb{Z}$	Entiers
$\mathbb{Q}$	Nombres rationnels
$\mathbb{R}$	Nombres réels
$\mathbb{R}^+$	Nombres réels positifs (supérieurs à 0)
$+$	Addition, positif
$-$	Soustraction, négatif, opposé
$\times$ ou $\cdot$	Multiplication
$/$ ou $\div$	Division
$\pm$	Plus ou moins
$\mp$	Moins ou plus
$=$	Est égal à
$\neq$	N'est pas égal à
$\approx$	Approximativement égal à
$>$	Strictement supérieur à
$<$	Strictement inférieur à
$\geq$	Supérieur ou égal à
$\leq$	Inférieur ou égal à
$\in$	Appartient à, est élément de
$\notin$	N'appartient pas à, n'est pas élément de
$\subseteq$	Est inclus dans ou égal à
$\subset$	Est strictement inclus dans
$\{x\| \quad \}$	Ensemble des x tels que
$\varnothing$	Ensemble vide
$\cup$	Union
$\cap$	Intersection
$\forall$	Pour tout
$\exists$	Existe
$\nexists$	N'existe pas

Symbole	Sens
∞	Infini
$[a, b]$	Intervalle fermé $(a \leq x \leq b)$
$]a, b[$	Intervalle ouvert $(a < x < b)$
$]a, b]$	Intervalle semi-ouvert $(a < x \leq b)$
$[a, b[$	Intervalle semi-ouvert $(a \leq x < b)$
$\Rightarrow$	Implication, si … alors
$\Leftrightarrow$	Double implication, équivalence, ssi, si et seulement si
$\mathrm{m}\,\overline{PQ}$	Mesure du segment joignant les points P et Q
$\|k\|$	Valeur absolue de $k \in \mathbb{R}$
$\sqrt{a}$	Racine carrée de a
$\sqrt[n]{a}$	Racine $n^{\text{ième}}$ de a
a^n	a puissance n
a_i	a indice i
π	Pi (soit 3, 141 59...)
e	Base du logarithme népérien ($e = 2{,}718\,28...$)
ln	Logarithme naturel ou népérien (de base e)
log	Logarithme décimal ou de Briggs (de base 10)
$\log_b$	Logarithme de base b
Dom_f ou D_f	Domaine de la fonction f
Ima_f ou Im_f	Image de la fonction f
$\lim\limits_{x \to x_0}$	Limite lorsque x tend vers x_0
dx, dy, dt	Différentielles
$y', \dfrac{dy}{dx}$	Dérivée de y par rapport à x

II ALPHABET GREC

Nom grec	Lettre minuscule	Lettre majuscule
Alpha	α	A
Bêta	β	B
Gamma	γ	Γ
Delta	δ	Δ
Epsilon	ε	E
Zêta	ζ	Z
Êta	η	H
Thêta	θ	Θ
Iota	ι	I
Kappa	κ	K
Lambda	λ	Λ
Mu	μ	M

Nom grec	Lettre minuscule	Lettre majuscule
Nu	ν	N
Xi	ξ	Ξ
Omicron	o	O
Pi	π	Π
Rhô	ρ	P
Sigma	σ	Σ
Tau	τ	T
Upsilon	υ	Y
Phi	φ	Φ
Khi	χ	X
Psi	ψ	Ψ
Oméga	ω	Ω

III ÉLÉMENTS D'ALGÈBRE

A VALEUR ABSOLUE

1. $|a| = \begin{cases} -a & \text{si } a < 0 \\ a & \text{si } a \geq 0 \end{cases}$

2. $\sqrt{a^2} = |a|$

B FORMULE QUADRATIQUE

Si $ax^2 + bx + c = 0$ et si le discriminant $b^2 - 4ac$ n'est pas négatif, alors $x = \dfrac{-b \pm \sqrt{b^2 - 4ac}}{2a}$.

C FACTORISATION

1. $x^2 - y^2 = (x - y)(x + y)$ (Différence de deux carrés)
2. $x^3 - y^3 = (x - y)(x^2 + xy + y^2)$ (Différence de deux cubes)
3. $x^3 + y^3 = (x + y)(x^2 - xy + y^2)$ (Somme de deux cubes)
4. $ax^2 + bx + c = a(x - r_1)(x - r_2)$, où $r_1 = \dfrac{-b + \sqrt{b^2 - 4ac}}{2a}$ et $r_2 = \dfrac{-b - \sqrt{b^2 - 4ac}}{2a}$
5. Si $P(x)$ est un polynôme en x de degré $n \geq 1$, et si r est un nombre réel tel que $P(r) = 0$, alors $P(x) = (x - r)Q(x)$, où $Q(x)$ est le polynôme en x de degré $n - 1$ qu'on obtient en divisant $P(x)$ par $(x - r)$.

D DISTANCE

La distance d entre les points $P(x_0, y_0)$ et $Q(x_1, y_1)$: $d = \sqrt{(x_1 - x_0)^2 + (y_1 - y_0)^2}$.

E ÉQUATIONS DE LIEUX GÉOMÉTRIQUES USUELS

1. La droite de pente m et d'ordonnée à l'origine b: $y = mx + b$.
2. La droite de pente m passant par le point $P(x_0, y_0)$: $y = m(x - x_0) + y_0$.
3. Le cercle centré au point $P(h, k)$ et de rayon r: $(x - h)^2 + (y - k)^2 = r^2$.

IV GÉOMÉTRIE DU PLAN ET DE L'ESPACE

A PÉRIMÈTRE (*P*), LONGUEUR D'ARC (*L*) ET AIRE (*A*) DE FIGURES PLANES COURANTES

Rectangle	Parallélogramme	Triangle
a, b	a, h, θ, b	a, c, h, θ, b
$P = 2(a + b)$ $A = ab$	$P = 2(a + b)$ $A = bh$ $= ab\sin\theta$	$P = a + b + c$ $A = 1/2\, bh$ $= 1/2\, ab\sin\theta$
Cercle	**Secteur circulaire (θ est en radians)**	**Trapèze**
r	r, L, θ, r	a, d, h, θ, c, b
$P = 2\pi r$ $A = \pi r^2$	$L = r\theta$ $P = 2r + L$ $A = 1/2\, \theta r^2$	$P = a + b + c + d$ $A = 1/2\, h(a + b)$ $= 1/2\, d(a + b)\sin\theta$

B AIRE LATÉRALE (A_L), AIRE TOTALE (A_T) ET VOLUME (V) DE SOLIDES DE L'ESPACE COURANTS

Cube	Parallélépipède rectangle	Sphère
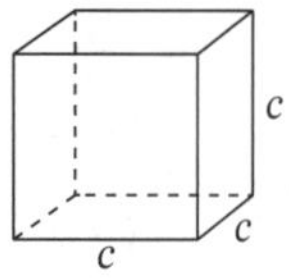 $A_T = 6c^2$ $V = c^3$	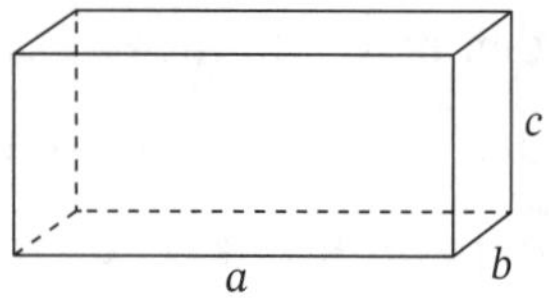 $A_T = 2(ab + bc + ac)$ $V = abc$	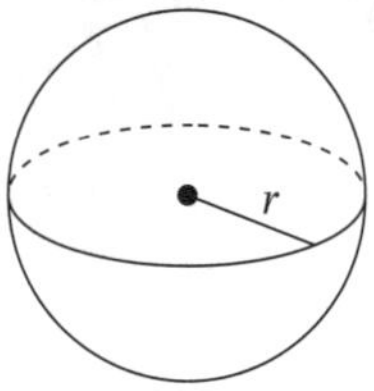 $A_T = 4\pi r^2$ $V = \frac{4\pi r^3}{3}$
Cylindre circulaire	**Cône circulaire**	**Pyramide**
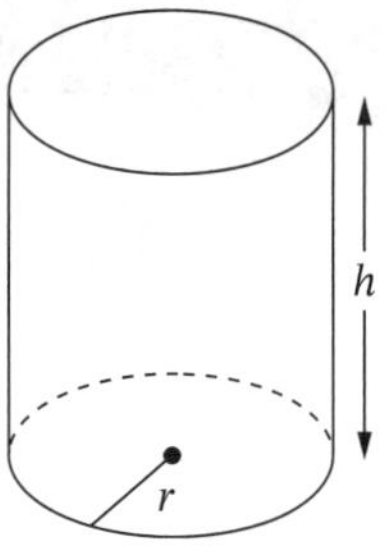 $A_L = 2\pi rh$ $A_T = 2\pi rh + 2\pi r^2$ $V = \pi r^2 h$	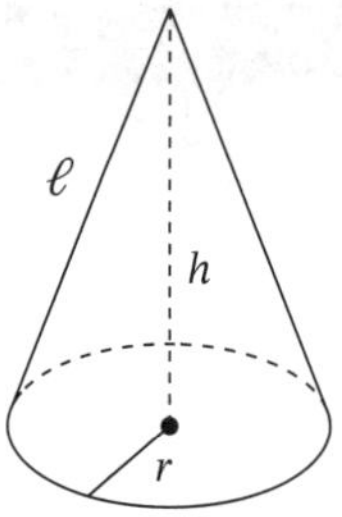 $A_L = \pi r\sqrt{r^2 + h^2} = \pi r\ell$ $A_T = \pi r\ell + \pi r^2$ $V = \frac{\pi r^2 h}{3}$	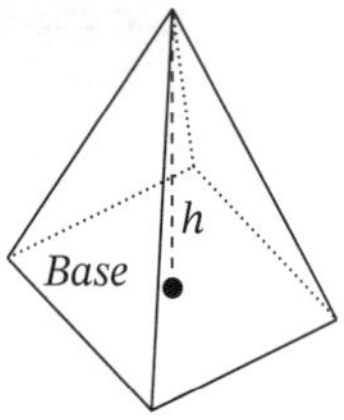 $V = \frac{(\text{Aire de la base} \times h)}{3}$

V TRIGONOMÉTRIE

A DÉFINITION DES FONCTIONS TRIGONOMÉTRIQUES DANS LE TRIANGLE RECTANGLE

$$\sin\theta = \sin A = \frac{\text{Côté opposé à } \theta}{\text{Hypoténuse}} = \frac{a}{c}$$

$$\cos\theta = \cos A = \frac{\text{Côté adjacent à } \theta}{\text{Hypoténuse}} = \frac{b}{c}$$

$$\text{tg}\,\theta = \text{tg}\,A = \frac{\text{Côté opposé à } \theta}{\text{Côté adjacent à } \theta} = \frac{a}{b} = \frac{\sin\theta}{\cos\theta}$$

$$\text{cotg}\,\theta = \text{cotg}\,A = \frac{\text{Côté adjacent à } \theta}{\text{Côté opposé à } \theta} = \frac{b}{a} = \frac{\cos\theta}{\sin\theta}$$

$$\sec\theta = \sec A = \frac{\text{Hypoténuse}}{\text{Côté adjacent à } \theta} = \frac{c}{b} = \frac{1}{\cos\theta}$$

$$\text{cosec}\,\theta = \text{cosec}\,A = \frac{\text{Hypoténuse}}{\text{Côté opposé à } \theta} = \frac{c}{a} = \frac{1}{\sin\theta}$$

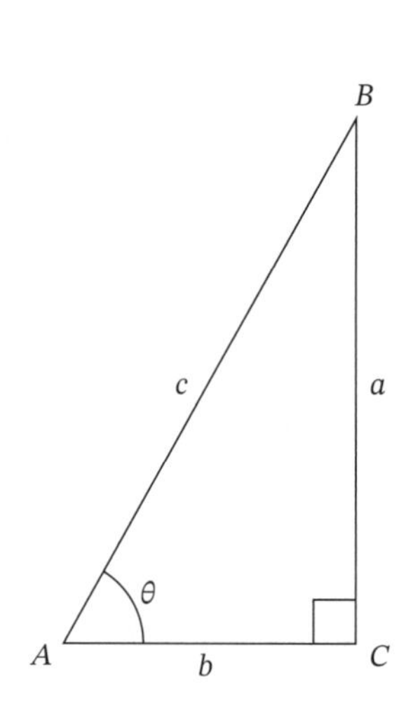

B CERCLE TRIGONOMÉTRIQUE (POINTS TRIGONOMÉTRIQUES REMARQUABLES)

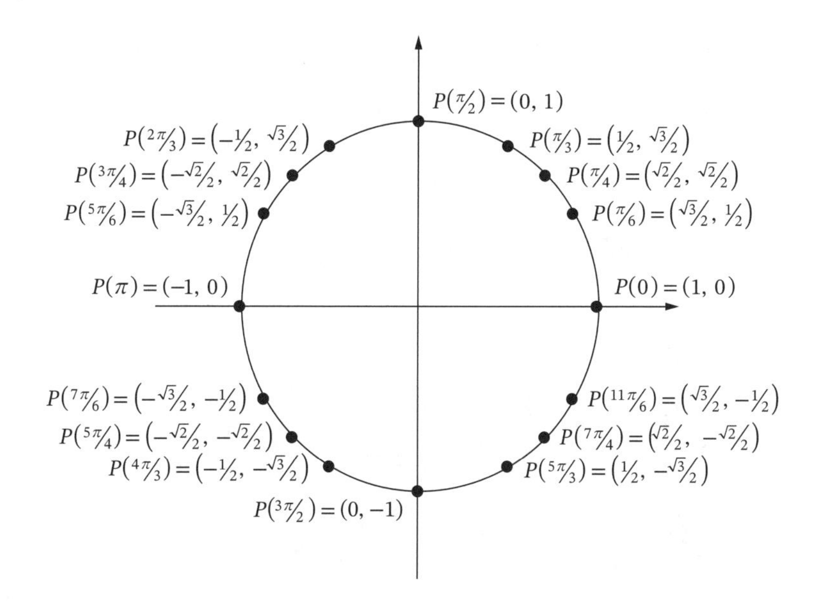

C VALEURS EXACTES DES FONCTIONS TRIGONOMÉTRIQUES (ANGLES REMARQUABLES)

θ en degrés	θ en radians	sin θ	cos θ	tg θ	cotg θ	sec θ	cosec θ
0°	0	0	1	0	$\nexists$	1	$\nexists$
30°	$\pi/6$	$1/2$	$\sqrt{3}/2$	$\sqrt{3}/3$	$\sqrt{3}$	$2\sqrt{3}/3$	2
45°	$\pi/4$	$\sqrt{2}/2$	$\sqrt{2}/2$	1	1	$\sqrt{2}$	$\sqrt{2}$
60°	$\pi/3$	$\sqrt{3}/2$	$1/2$	$\sqrt{3}$	$\sqrt{3}/3$	2	$2\sqrt{3}/3$
90°	$\pi/2$	1	0	$\nexists$	0	$\nexists$	1
120°	$2\pi/3$	$\sqrt{3}/2$	$-1/2$	$-\sqrt{3}$	$-\sqrt{3}/3$	-2	$2\sqrt{3}/3$
135°	$3\pi/4$	$\sqrt{2}/2$	$-\sqrt{2}/2$	-1	-1	$-\sqrt{2}$	$\sqrt{2}$
150°	$5\pi/6$	$1/2$	$-\sqrt{3}/2$	$-\sqrt{3}/3$	$-\sqrt{3}$	$-2\sqrt{3}/3$	2
180°	π	0	-1	0	$\nexists$	-1	$\nexists$
210°	$7\pi/6$	$-1/2$	$-\sqrt{3}/2$	$\sqrt{3}/3$	$\sqrt{3}$	$-2\sqrt{3}/3$	-2
225°	$5\pi/4$	$-\sqrt{2}/2$	$-\sqrt{2}/2$	1	1	$-\sqrt{2}$	$-\sqrt{2}$
240°	$4\pi/3$	$-\sqrt{3}/2$	$-1/2$	$\sqrt{3}$	$\sqrt{3}/3$	-2	$-2\sqrt{3}/3$
270°	$3\pi/2$	-1	0	$\nexists$	0	$\nexists$	-1
300°	$5\pi/3$	$-\sqrt{3}/2$	$1/2$	$-\sqrt{3}$	$-\sqrt{3}/3$	2	$-2\sqrt{3}/3$
315°	$7\pi/4$	$-\sqrt{2}/2$	$\sqrt{2}/2$	-1	-1	$\sqrt{2}$	$-\sqrt{2}$
330°	$11\pi/6$	$-1/2$	$\sqrt{3}/2$	$-\sqrt{3}/3$	$-\sqrt{3}$	$2\sqrt{3}/3$	-2
360°	2π	0	1	0	$\nexists$	1	$\nexists$

D LOI DES SINUS ET LOI DES COSINUS

Loi des sinus : $\dfrac{\sin\alpha}{a} = \dfrac{\sin\beta}{b} = \dfrac{\sin\gamma}{c}$

Loi des cosinus : $c^2 = a^2 + b^2 - 2ab\cos\gamma$

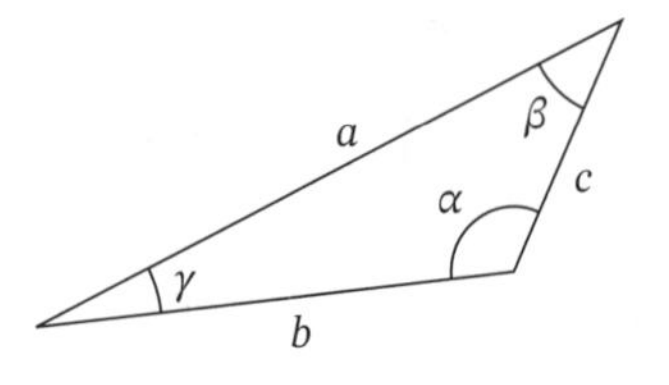

E IDENTITÉS TRIGONOMÉTRIQUES

Si α, β, θ et x sont des nombres réels, alors

1. $\sin^2\theta + \cos^2\theta = 1$
2. $1 + \operatorname{tg}^2\theta = \sec^2\theta$, si $\cos\theta \neq 0$
3. $1 + \operatorname{cotg}^2\theta = \operatorname{cosec}^2\theta$, si $\sin\theta \neq 0$
4. $\cos(\alpha \pm \beta) = \cos\alpha\cos\beta \mp \sin\alpha\sin\beta$
5. $\sin(\alpha \pm \beta) = \sin\alpha\cos\beta \pm \sin\beta\cos\alpha$
6. $\cos\alpha\cos\beta = 1/2[\cos(\alpha - \beta) + \cos(\alpha + \beta)]$
7. $\sin\alpha\sin\beta = 1/2[\cos(\alpha - \beta) - \cos(\alpha + \beta)]$
8. $\sin\alpha\cos\beta = 1/2[\sin(\alpha - \beta) + \sin(\alpha + \beta)]$
9. $\cos(2\theta) = \cos^2\theta - \sin^2\theta$
10. $\cos(2\theta) = 2\cos^2\theta - 1$
11. $\cos(2\theta) = 1 - 2\sin^2\theta$
12. $\sin(2\theta) = 2\sin\theta\cos\theta$
13. $\sin^2\theta = 1/2[1 - \cos(2\theta)]$
14. $\cos^2\theta = 1/2[1 + \cos(2\theta)]$
15. $\operatorname{arcsec} x = \arccos(1/x)$, si $|x| \geq 1$
16. $\operatorname{arccosec} x = \arcsin(1/x)$, si $|x| \geq 1$
17. $\operatorname{arccotg} x = \begin{cases} \operatorname{arctg}(1/x) + \pi & \text{si } x < 0 \\ \pi/2 & \text{si } x = 0 \\ \operatorname{arctg}(1/x) & \text{si } x > 0 \end{cases}$

F RELATIONS TRIGONOMÉTRIQUES IMPORTANTES

	$-\theta$	$\dfrac{\pi}{2} \pm \theta$	$\pi \pm \theta$
sin	$-\sin\theta$	$\cos\theta$	$\mp\sin\theta$
cos	$\cos\theta$	$\mp\sin\theta$	$-\cos\theta$
tg	$-\operatorname{tg}\theta$	$\mp\operatorname{cotg}\theta$	$\pm\operatorname{tg}\theta$
cosec	$-\operatorname{cosec}\theta$	$\sec\theta$	$\mp\operatorname{cosec}\theta$
sec	$\sec\theta$	$\mp\operatorname{cosec}\theta$	$-\sec\theta$
cotg	$-\operatorname{cotg}\theta$	$\mp\operatorname{tg}\theta$	$\pm\operatorname{cotg}\theta$

G GRAPHIQUES DES FONCTIONS TRIGONOMÉTRIQUES

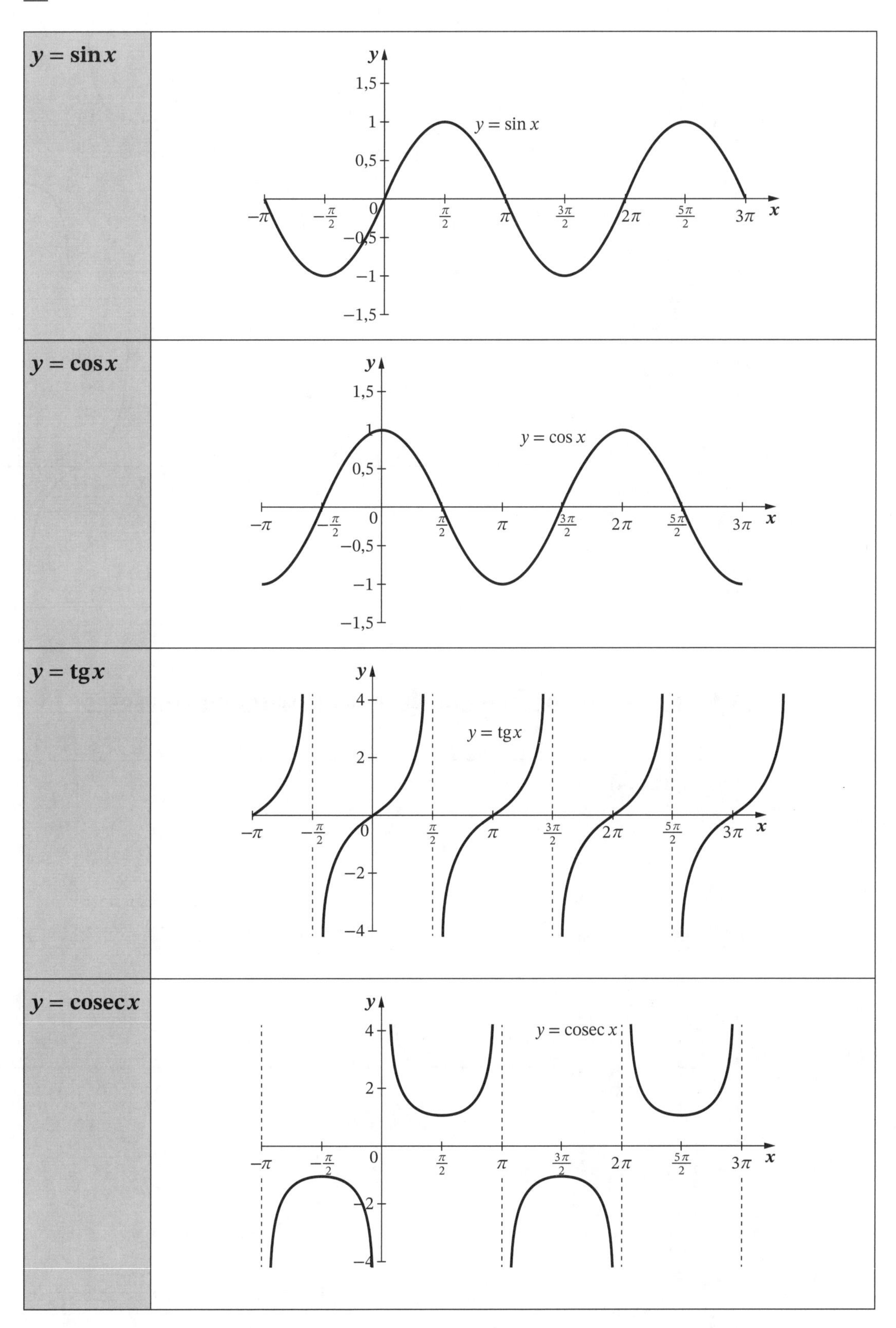

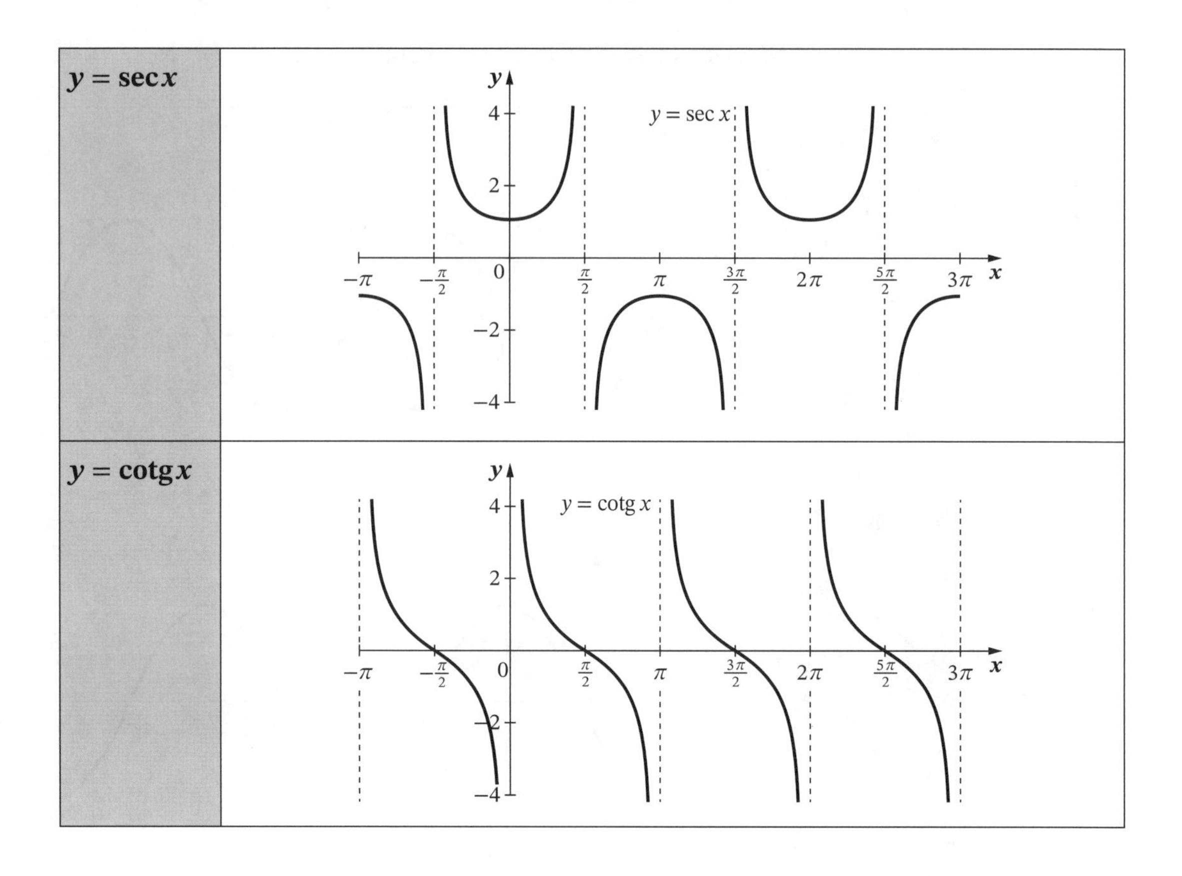

H GRAPHIQUES DES FONCTIONS TRIGONOMÉTRIQUES INVERSES

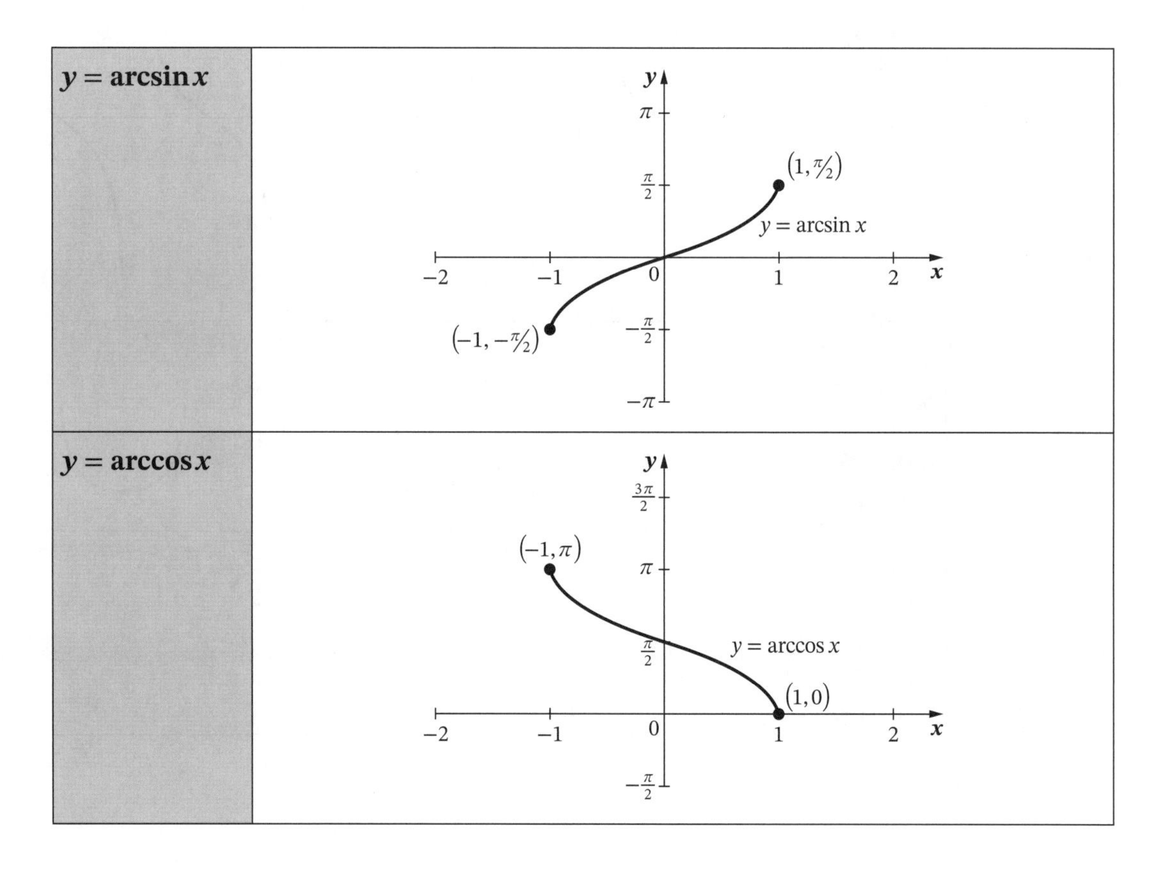

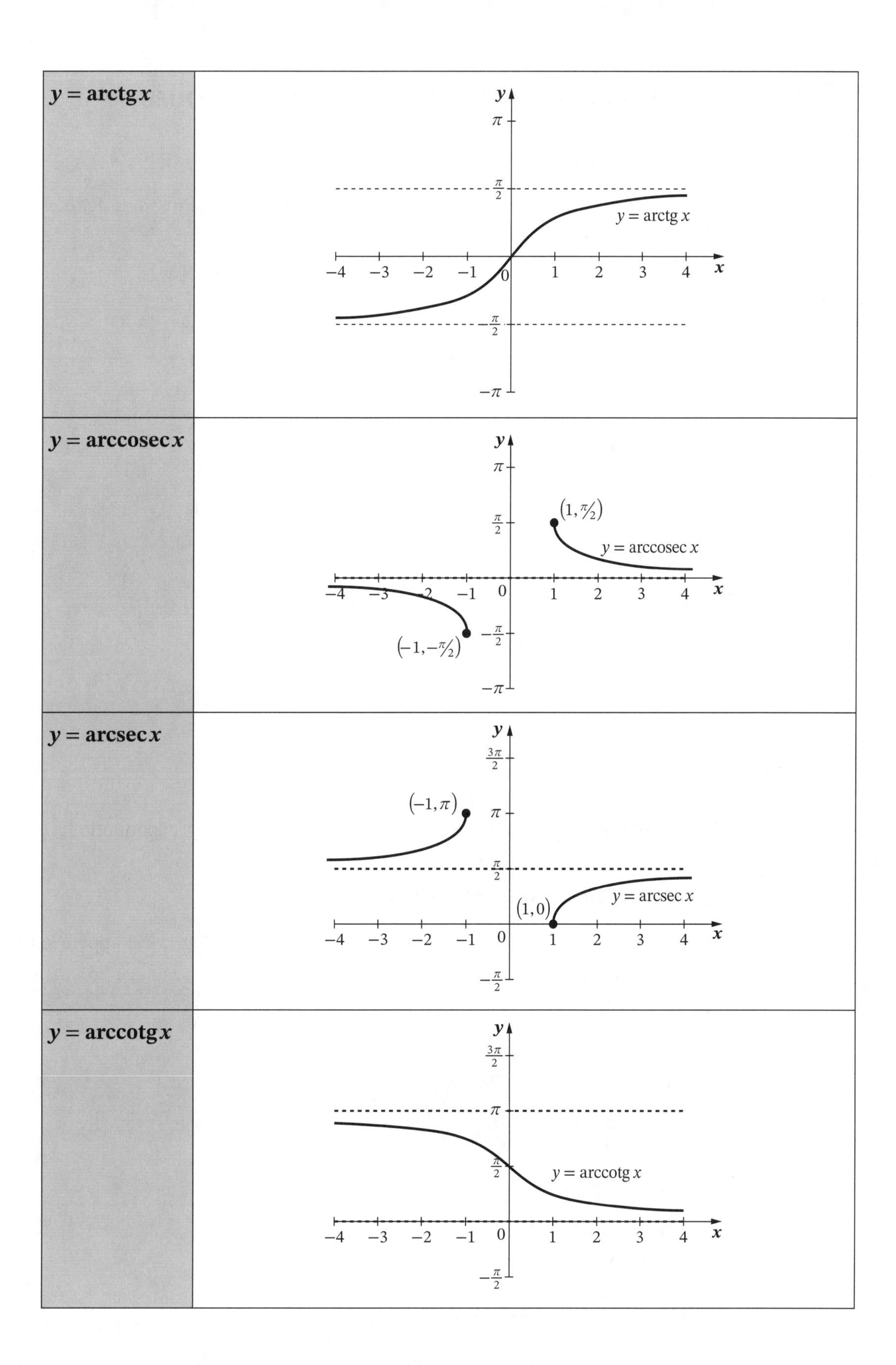
y = arctg x
y
π
π/2
y = arctg x
−4 −3 −2 −1 0 1 2 3 4 x
−π/2
−π
y = arccosec x
y
π
π/2
(1, π/2)
y = arccosec x
−4 −3 −2 −1 0 1 2 3 4 x
−π/2
(−1, −π/2)
−π
y = arcsec x
y
3π/2
(−1, π)
π
π/2
(1, 0)
y = arcsec x
−4 −3 −2 −1 0 1 2 3 4 x
−π/2
y = arccotg x
y
3π/2
π
π/2
y = arccotg x
−4 −3 −2 −1 0 1 2 3 4 x
−π/2

VI FONCTIONS EXPONENTIELLES ET LOGARITHMIQUES

A PROPRIÉTÉS DES EXPOSANTS

Si $p \in \mathbb{R}$, $q \in \mathbb{R}$, $m \in \mathbb{N}^*$ et $n \in \mathbb{N}^*$, alors, lorsque les expressions sont définies pour $a \in \mathbb{R}$ et $b \in \mathbb{R}$, on a :

1. $b^0 = 1$ pour $b \neq 0$
2. $b^p b^q = b^{p+q}$
3. $\dfrac{b^p}{b^q} = b^{p-q}$
4. $(b^p)^q = b^{pq}$
5. $(ab)^p = a^p b^p$
6. $\left(\dfrac{a}{b}\right)^p = \dfrac{a^p}{b^p}$
7. $\dfrac{1}{b^p} = b^{-p}$
8. $b^{1/n} = \sqrt[n]{b}$
9. $b^{m/n} = \sqrt[n]{b^m}$
10. $\sqrt[n]{ab} = \sqrt[n]{a}\,\sqrt[n]{b}$
11. $\sqrt[n]{\dfrac{a}{b}} = \dfrac{\sqrt[n]{a}}{\sqrt[n]{b}}$
12. $\sqrt[m]{\sqrt[n]{b}} = \sqrt[mn]{b}$

Si $b > 0$ et $b \neq 1$, alors la fonction $y = b^x$ est appelée fonction exponentielle.

B PROPRIÉTÉS DES LOGARITHMES

Si $b > 0$, si $b \neq 1$ et si $b^u = x$, alors le nombre u, noté $u = \log_b x$, est appelé le logarithme de base b de x. De plus, si $M > 0$, $N > 0$ et $p \in \mathbb{R}$, on a :

1. $\log_b 1 = 0$
2. $\log_b b = 1$
3. $\log_b(\text{MN}) = \log_b M + \log_b N$
4. $\log_b\left(\dfrac{M}{N}\right) = \log_b M - \log_b N$
5. $\log_b(M^p) = p\log_b M$
6. $\log_b(b^p) = p$ et $\ln(e^p) = p$
7. $b^{\log_b N} = N$ et $e^{\ln N} = N$
8. $\log_b N = \dfrac{\log_a N}{\log_a b}$, où $a > 0$ et $a \neq 1$
9. $\log_{10} N = \log N$ (logarithme décimal ou logarithme de Briggs)
10. $\log_e N = \ln N$ (logarithme naturel ou logarithme népérien)

La fonction $y = \log_b x$ est dite fonction logarithmique et son domaine est $]0, \infty[$.

C REPRÉSENTATIONS GRAPHIQUES DES FONCTIONS EXPONENTIELLES ET LOGARITHMIQUES

1. Fonctions exponentielles

   La représentation graphique de $f(x) = b^x$ dépend de la valeur de la base b:

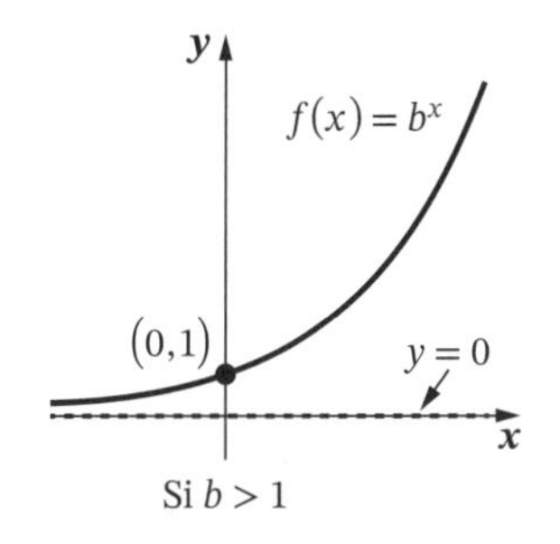

Si $b > 1$

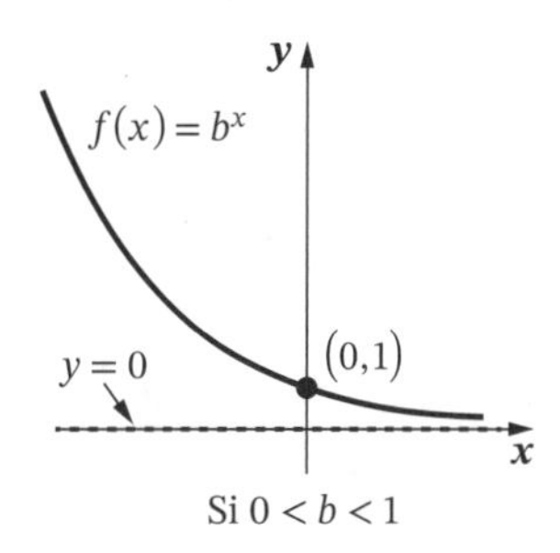

Si $0 < b < 1$

2. Fonctions logarithmiques

   La représentation graphique de $f(x) = \log_b x$ dépend de la valeur de la base b:

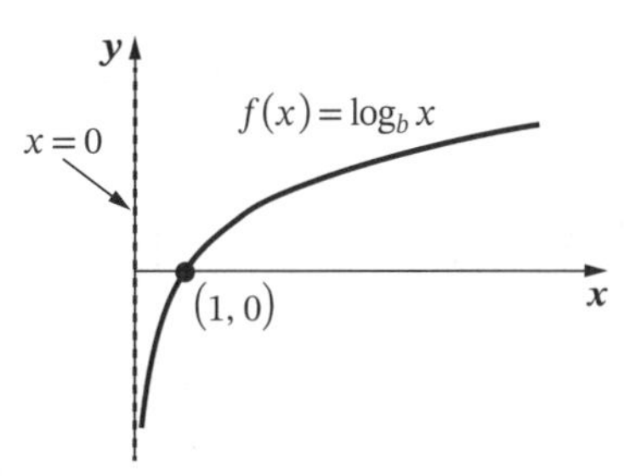

Si $b > 1$

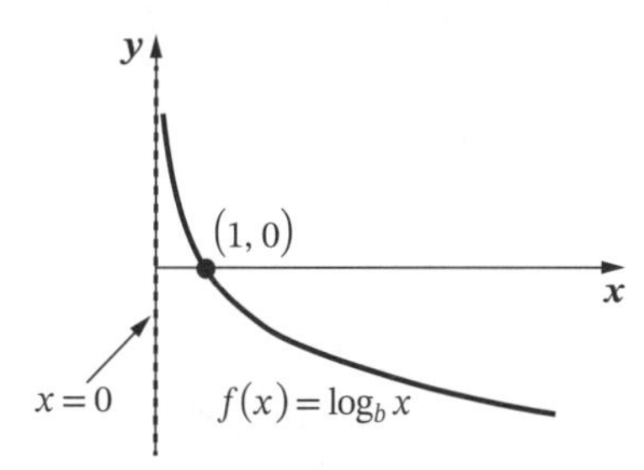

Si $0 < b < 1$

VII LIMITE

A EXISTENCE D'UNE LIMITE

Si $f(x)$ est une fonction de x, alors $\lim\limits_{x \to a} f(x) = L \in \mathbb{R}$ si et seulement si $\lim\limits_{x \to a^-} f(x) = \lim\limits_{x \to a^+} f(x) = L$, c'est-à-dire si et seulement si les limites obtenues en approchant a par la gauche et par la droite sont identiques.

Lorsqu'on veut évaluer $\lim\limits_{x \to a} f(x)$, il faut nécessairement évaluer $\lim\limits_{x \to a^-} f(x)$ et $\lim\limits_{x \to a^+} f(x)$ dans les deux situations suivantes:

- $f(a)$ est de la forme $\frac{c}{0}$, où c est une constante non nulle;
- $f(x)$ est une fonction définie par morceaux, et on observe un changement dans l'expression de $f(x)$ en $x = a$.

B PROPRIÉTÉS DES LIMITES

Si $a \in \mathbb{R}$ ou si a représente ∞ ou $-\infty$, si $b > 0$ et $b \neq 1$, si $c \in \mathbb{R}$, si $k \in \mathbb{R}$, si $n \in \mathbb{N}^*$, si $f(x)$ et $g(x)$ sont deux fonctions telles que $\lim\limits_{x \to a} f(x)$ et $\lim\limits_{x \to a} g(x)$ existent, alors:

1. $\lim\limits_{x \to a} k = k$
2. $\lim\limits_{x \to a} x = a$
3. $\lim\limits_{x \to a} [k f(x)] = k \lim\limits_{x \to a} f(x)$

4. $\lim_{x\to a}[f(x) \pm g(x)] = \lim_{x\to a} f(x) \pm \lim_{x\to a} g(x)$

5. $\lim_{x\to a}[f(x)g(x)] = \left[\lim_{x\to a} f(x)\right]\left[\lim_{x\to a} g(x)\right]$

6. $\lim_{x\to a}\dfrac{f(x)}{g(x)} = \dfrac{\lim_{x\to a} f(x)}{\lim_{x\to a} g(x)}$ si $\lim_{x\to a} g(x) \neq 0$

7. $\lim_{x\to a}[f(x)]^n = \left[\lim_{x\to a} f(x)\right]^n$

8. $\lim_{x\to a}\sqrt[n]{f(x)} = \sqrt[n]{\lim_{x\to a} f(x)}$ si n est impair ou si $\lim_{x\to a} f(x) > 0$ quand n est pair

9. $\lim_{x\to -\infty} k = k$ et $\lim_{x\to \infty} k = k$

10. $\lim_{x\to\infty} x^n = \infty$

11. $\lim_{x\to -\infty} x^n = \begin{cases} \infty & \text{si } n \text{ est pair} \\ -\infty & \text{si } n \text{ est impair} \end{cases}$

12. $\lim_{x\to\infty}\dfrac{1}{x^n} = 0$ et $\lim_{x\to -\infty}\dfrac{1}{x^n} = 0$

13. $\lim_{x\to\infty}\sqrt[n]{x} = \infty$

14. $\lim_{x\to -\infty}\sqrt[n]{x} = -\infty$ si n est impair et $\lim_{x\to -\infty}\sqrt[n]{x}$ n'existe pas si n est pair

15. $\lim_{x\to c} b^x = b^c$

16. $\lim_{x\to\infty} b^x = \begin{cases} 0 & \text{si } 0 < b < 1 \\ \infty & \text{si } b > 1 \end{cases}$

17. $\lim_{x\to -\infty} b^x = \begin{cases} \infty & \text{si } 0 < b < 1 \\ 0 & \text{si } b > 1 \end{cases}$

18. $\lim_{x\to c}\log_b x = \log_b c$ si $c > 0$

19. $\lim_{x\to 0^+}\log_b x = \begin{cases} \infty & \text{si } 0 < b < 1 \\ -\infty & \text{si } b > 1 \end{cases}$

20. $\lim_{x\to\infty}\log_b x = \begin{cases} -\infty & \text{si } 0 < b < 1 \\ \infty & \text{si } b > 1 \end{cases}$

21. $\lim_{x\to c}\sin x = \sin c$

22. $\lim_{x\to c}\cos x = \cos c$

C THÉORÈMES

- $\lim_{x\to a} P(x) = P(a)$, où $P(x)$ est un polynôme en x et $a \in \mathbb{R}$.
- Si $g(x) \leq f(x) \leq h(x)$ pour tout x appartenant à un intervalle ouvert contenant a (sauf peut-être en $x = a$) et si $\lim_{x\to a} g(x) = L = \lim_{x\to a} h(x)$, alors $\lim_{x\to a} f(x) = L$ (théorème du sandwich).
- La règle de L'Hospital est une stratégie utilisée pour lever certaines indéterminations. Dans son expression la plus simple, elle affirme que si $\dfrac{f(x)}{g(x)}$ est une forme indéterminée du type $\dfrac{0}{0}$ ou $\dfrac{\infty}{\infty}$ en $x = a$, alors $\lim_{x\to a}\dfrac{f(x)}{g(x)} = \lim_{x\to a}\dfrac{f'(x)}{g'(x)}$, pour autant que la limite du membre de droite de l'équation existe ou encore est infinie.

D ARITHMÉTIQUE DE L'INFINI

Dans l'évaluation d'une limite, on peut obtenir des assemblages contenant une ou plusieurs expressions du type ∞, $-\infty$, 0^- ou 0^+. Si b et k sont des constantes réelles, le résultat de l'assemblage, selon la forme, est le suivant:

Forme	Résultat
$\infty \pm k$	∞
$\infty + \infty$	∞
$\infty \times \infty$	∞
$k \times \infty$	$\begin{cases} -\infty & \text{si } k < 0 \\ \infty & \text{si } k > 0 \end{cases}$
$\dfrac{k}{\infty}$	0
$\dfrac{k}{0^+}$	$\begin{cases} -\infty & \text{si } k < 0 \\ \infty & \text{si } k > 0 \end{cases}$
$\dfrac{k}{0^-}$	$\begin{cases} \infty & \text{si } k < 0 \\ -\infty & \text{si } k > 0 \end{cases}$

Forme	Résultat
b^{∞}	$\begin{cases} 0 & \text{si } 0 < b < 1 \\ \infty & \text{si } b > 1 \end{cases}$
$b^{-\infty}$	$\begin{cases} \infty & \text{si } 0 < b < 1 \\ 0 & \text{si } b > 1 \end{cases}$
$\log_b 0^+$	$\begin{cases} \infty & \text{si } 0 < b < 1 \\ -\infty & \text{si } b > 1 \end{cases}$
$\log_b \infty$	$\begin{cases} -\infty & \text{si } 0 < b < 1 \\ \infty & \text{si } b > 1 \end{cases}$

E FORMES INDÉTERMINÉES

Dans l'évaluation d'une limite, on peut obtenir des assemblages d'une des formes $\dfrac{0}{0}$, $\dfrac{\infty}{\infty}$ ou $\infty - \infty$, qu'on qualifie de formes indéterminées. Les stratégies suivantes permettent de lever certaines de ces indéterminations.

Forme	Stratégie
$\dfrac{0}{0}$	Simplifier l'expression. Déterminer un facteur commun au numérateur et au dénominateur, puis simplifier. Mettre l'expression au même dénominateur. Multiplier le numérateur et le dénominateur par une expression conjuguée du numérateur ou du dénominateur. Utiliser les définitions des fonctions trigonométriques ou les identités trigonométriques pour transformer l'expression en une expression équivalente. Utiliser la règle de L'Hospital.
$\dfrac{\infty}{\infty}$	Mettre en évidence le terme dominant (notamment la plus grande puissance de la variable indépendante) au numérateur et au dénominateur, puis simplifier. Utiliser la règle de L'Hospital.
$\infty - \infty$	Mettre en évidence le terme dominant, notamment la plus grande puissance de la variable indépendante. Mettre l'expression au même dénominateur. Multiplier le numérateur et le dénominateur par une expression conjuguée du numérateur ou du dénominateur.

VIII CONTINUITÉ

A CONTINUITÉ EN UN POINT

Une fonction $f(x)$ est continue en $x = a$ si et seulement si :

1. $f(a)$ existe ;
2. $\lim\limits_{x \to a} f(x)$ existe ;
3. $\lim\limits_{x \to a} f(x) = f(a)$.

B TYPES DE DISCONTINUITÉ

- La fonction $f(x)$ admet une discontinuité non essentielle par trou en $x = a$ si elle n'est pas définie en $x = a$, mais que $\lim\limits_{x \to a} f(x) = b$, où b est un nombre réel.

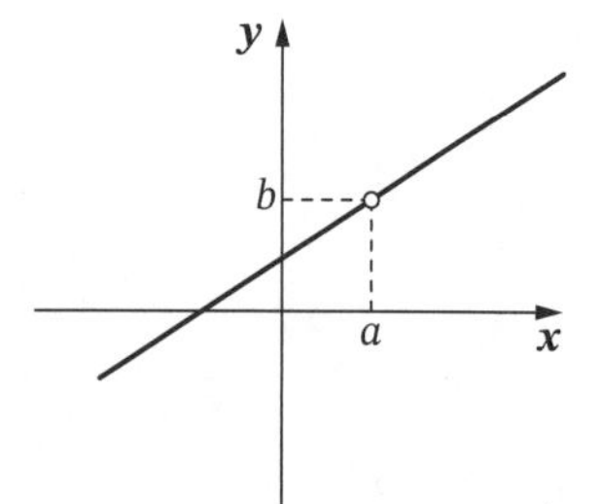

- La fonction $f(x)$ admet une discontinuité non essentielle par déplacement en $x = a$ si elle est définie en $x = a$, mais que $\lim\limits_{x \to a} f(x) = b \neq f(a)$, où b est un nombre réel.

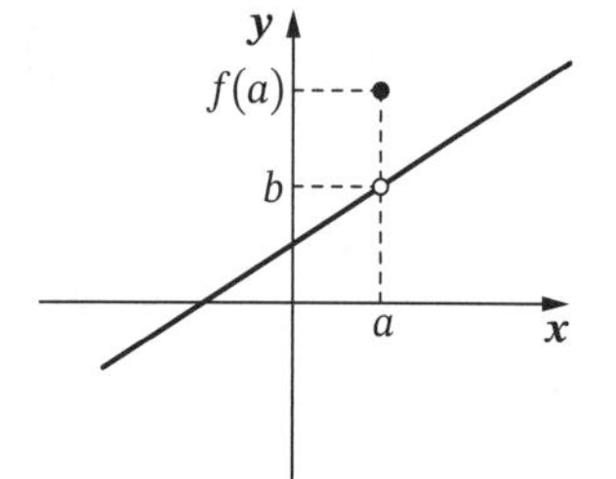

- La fonction $f(x)$ admet une discontinuité essentielle par saut en $x = a$ si les limites à gauche et à droite de $x = a$ sont des nombres réels, mais que $\lim\limits_{x \to a^-} f(x) \neq \lim\limits_{x \to a^+} f(x)$.

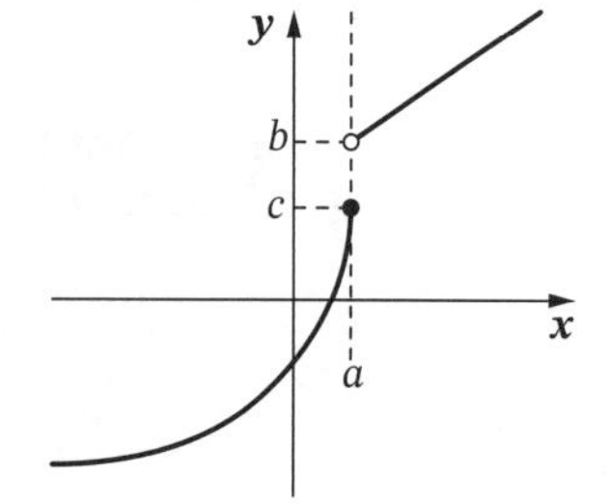

- La fonction $f(x)$ admet une discontinuité essentielle infinie en $x = a$ si au moins une des deux limites, $\lim\limits_{x \to a^-} f(x)$ ou $\lim\limits_{x \to a^+} f(x)$, donne ∞ ou $-\infty$.

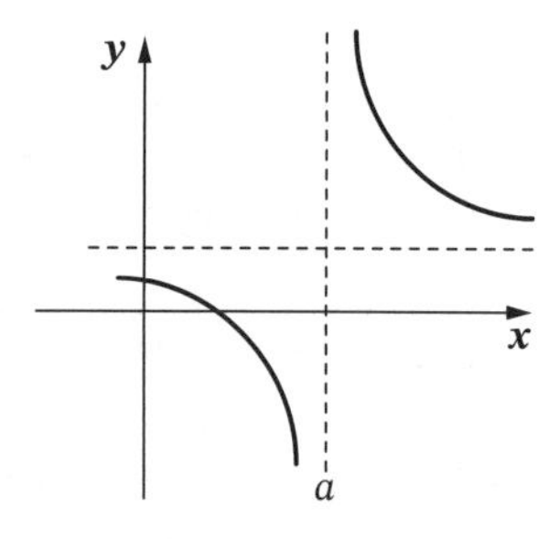

C CONTINUITÉ DE FONCTIONS CONNUES

- Si $f(x)$ est une fonction polynomiale (un polynôme en x de degré n), alors $f(x)$ est continue sur $\mathbb{R}$.
- La fonction $f(x) = |x|$ est continue sur $\mathbb{R}$.

- Si $f(x)$ est une fonction rationnelle, soit un quotient de deux polynômes, alors $f(x)$ est continue sur son domaine, soit sur l'ensemble des valeurs pour lesquelles son dénominateur est non nul.
- Si $f(x)$ est une fonction exponentielle, alors $f(x)$ est continue sur $\mathbb{R}$.
- Si $f(x)$ est une fonction logarithmique, alors $f(x)$ est continue sur son domaine, soit sur l'ensemble des valeurs pour lesquelles son argument est positif.
- Si $f(x)$ est une fonction trigonométrique, alors $f(x)$ est continue sur son domaine, soit sur l'ensemble des valeurs pour lesquelles elle est définie.

D PROPRIÉTÉS DES FONCTIONS CONTINUES

Si $f(x)$ et $g(x)$ sont deux fonctions continues en $x = a$ et si $h(x)$ est une fonction continue en $x = g(a)$, alors :

- $f(x) \pm g(x)$ est continue en $x = a$;
- $f(x) \times g(x)$ est continue en $x = a$;
- $\dfrac{f(x)}{g(x)}$ est continue en $x = a$ si $g(a) \neq 0$ et est discontinue en $x = a$ si $g(a) = 0$;
- $h(g(x))$ est continue en $x = a$.

E CONTINUITÉ SUR UN INTERVALLE

- Une fonction $f(x)$ est continue sur un intervalle $]a, b[$ si elle est continue pour tout $x \in\ ]a, b[$.
- Une fonction $f(x)$ est continue sur un intervalle $[a, b[$ si elle est continue pour tout $x \in\ ]a, b[$ et si $\lim\limits_{x \to a^+} f(x) = f(a)$.
- Une fonction $f(x)$ est continue sur un intervalle $]a, b]$ si elle est continue pour tout $x \in\ ]a, b[$ et si $\lim\limits_{x \to b^-} f(x) = f(b)$.
- Une fonction $f(x)$ est continue sur un intervalle $[a, b]$ si elle est continue pour tout $x \in\ ]a, b[$ et si $\lim\limits_{x \to a^+} f(x) = f(a)$ et $\lim\limits_{x \to b^-} f(x) = f(b)$.

IX VARIATIONS ET TAUX DE VARIATION

A VARIATION DE LA VARIABLE INDÉPENDANTE

La variation de la variable indépendante x sur l'intervalle $[a, b]$ est donnée par $\Delta x = b - a$.

B VARIATION D'UNE FONCTION

La variation d'une fonction continue $f(x)$ sur l'intervalle $[a, b]$ est donnée par $\Delta f = f(b) - f(a)$.

C TAUX DE VARIATION MOYEN D'UNE FONCTION

Le taux de variation moyen de la fonction $f(x)$ sur l'intervalle $[a, b]$ est donné par $\dfrac{\Delta f}{\Delta x} = \dfrac{f(b) - f(a)}{b - a}$.

D TAUX DE VARIATION INSTANTANÉ D'UNE FONCTION

Le taux de variation instantané de la fonction $f(x)$ en $x = a$ est donné par $\lim\limits_{b \to a} \dfrac{f(b) - f(a)}{b - a}$ ou $\lim\limits_{\Delta x \to 0} \dfrac{f(a + \Delta x) - f(a)}{\Delta x}$.

X DÉRIVÉE

A DÉRIVÉE EN UN POINT ET FONCTION DÉRIVÉE

La dérivée d'une fonction $f(x)$ en un point $x = a$ est le taux de variation instantané de la fonction $f(x)$ en $x = a$. On utilise principalement deux notations pour la dérivée d'une fonction en un point, soit $f'(a)$ et $\left.\dfrac{df}{dx}\right|_{x=a}$. La dérivée d'une fonction $f(x)$ en $x = a$ est donc définie par

$$f'(a) = \lim_{\Delta x \to 0} \frac{f(a + \Delta x) - f(a)}{\Delta x} \text{ ou } f'(a) = \lim_{b \to a} \frac{f(b) - f(a)}{b - a}$$

Si $f'(a)$ existe, on dit que la fonction $f(x)$ est dérivable en $x = a$.

La fonction dérivée, ou plus simplement la dérivée de $y = f(x)$, est donnée par $\lim\limits_{\Delta x \to 0} \dfrac{f(x + \Delta x) - f(x)}{\Delta x}$ (lorsque cette expression existe), et elle est notée par $f'(x)$, y', $\dfrac{dy}{dx}$ ou $\dfrac{df}{dx}$.

B INTERPRÉTATIONS DE LA DÉRIVÉE

Selon le contexte, on peut donner plusieurs interprétations à la dérivée d'une fonction. Ainsi, une dérivée peut représenter :

- la pente m de la droite tangente à la courbe décrite par la fonction $f(x)$ en $x = a$ $[m = f'(a)]$, de sorte que l'équation de la droite tangente à la courbe décrite par la fonction $f(x)$ en $x = a$ est $y = f'(a)(x - a) + f(a)$, et celle de la droite normale à cette même courbe en $x = a$ est $y = -\dfrac{1}{f'(a)}(x - a) + f(a)$ si $f'(a) \neq 0$;
- le taux de variation instantané d'une fonction, par exemple, le taux de croissance ou de décroissance d'une population, $P'(t)$, en un instant t donné ;
- la vitesse $\left(v = \dfrac{ds}{dt}\right)$ et l'accélération $\left(a = \dfrac{dv}{dt} = \dfrac{d^2 s}{dt^2}\right)$.

C FORMULES DE DÉRIVATION

Dans les formules suivantes, u et v sont des fonctions dérivables de x ; b, k et n sont des constantes, $b > 0$ et $b \neq 1$. Les restrictions habituelles au domaine des fonctions s'appliquent.

1. $\dfrac{d}{dx}(k) = 0$
2. $\dfrac{d}{dx}(x) = 1$
3. $\dfrac{d}{dx}(ku) = k\dfrac{du}{dx}$

4. $\frac{d}{dx}(u+v)=\frac{du}{dx}+\frac{dv}{dx}$

5. $\frac{d}{dx}(u-v)=\frac{du}{dx}-\frac{dv}{dx}$

6. $\frac{d}{dx}(uv)=u\frac{dv}{dx}+v\frac{du}{dx}$ ou $\frac{d}{dx}(uv)=v\frac{du}{dx}+u\frac{dv}{dx}$.

7. $\frac{d}{dx}\left(\frac{u}{v}\right)=\frac{v\frac{du}{dx}-u\frac{dv}{dx}}{v^2}$

8. $\frac{d}{dx}(x^n)=nx^{n-1}$

9. $\frac{d}{dx}(u^n)=nu^{n-1}\frac{du}{dx}$

10. $\frac{d}{dx}(e^u)=e^u\frac{du}{dx}$

11. $\frac{d}{dx}(b^u)=b^u(\ln b)\frac{du}{dx}$

12. $\frac{d}{dx}(\log_b u)=\frac{1}{u(\ln b)}\frac{du}{dx}$

13. $\frac{d}{dx}(\ln u)=\frac{1}{u}\frac{du}{dx}$

14. $\frac{d}{dx}(\sin u)=\cos u\frac{du}{dx}$

15. $\frac{d}{dx}(\cos u)=-\sin u\frac{du}{dx}$

16. $\frac{d}{dx}(\mathrm{tg}\, u)=\sec^2 u\frac{du}{dx}$

17. $\frac{d}{dx}(\mathrm{cotg}\, u)=-\mathrm{cosec}^2 u\frac{du}{dx}$

18. $\frac{d}{dx}(\sec u)=\sec u\,\mathrm{tg}\, u\frac{du}{dx}$

19. $\frac{d}{dx}(\mathrm{cosec}\, u)=-\mathrm{cosec}\, u\,\mathrm{cotg}\, u\frac{du}{dx}$

20. $\frac{d}{dx}(\arcsin u)=\frac{1}{\sqrt{1-u^2}}\frac{du}{dx}$

21. $\frac{d}{dx}(\arccos u)=\frac{-1}{\sqrt{1-u^2}}\frac{du}{dx}$

22. $\frac{d}{dx}(\mathrm{arctg}\, u)=\frac{1}{1+u^2}\frac{du}{dx}$

23. $\frac{d}{dx}(\mathrm{arccotg}\, u)=\frac{-1}{1+u^2}\frac{du}{dx}$

24. $\frac{d}{dx}(\mathrm{arcsec}\, u)=\frac{1}{|u|\sqrt{u^2-1}}\frac{du}{dx}$

25. $\frac{d}{dx}(\mathrm{arccosec}\, u)=\frac{-1}{|u|\sqrt{u^2-1}}\frac{du}{dx}$

D DÉRIVÉE D'ORDRE SUPÉRIEUR

Lorsqu'elle existe, la dérivée est elle-même une fonction qu'on peut dériver à nouveau (théoriquement aussi souvent qu'on veut): on parle alors de dérivée d'ordre supérieur.

Ainsi, la dérivée seconde de $y = f(x)$ est notée $f''(x)$, y'', $\frac{d^2f}{dx^2}$ ou $\frac{d^2y}{dx^2}$; la dérivée troisième est notée $f'''(x)$, y''', $\frac{d^3f}{dx^3}$ ou $\frac{d^3y}{dx^3}$; et, en général, la dérivée d'ordre n est notée $f^{(n)}(x)$, $y^{(n)}$, $\frac{d^nf}{dx^n}$ ou $\frac{d^ny}{dx^n}$.

E DÉRIVATION IMPLICITE

Soit une équation définissant implicitement y comme une fonction dérivable de x. Alors $\frac{dy}{dx}$ s'obtient à l'aide de la dérivation implicite :

1. Dériver chaque membre de l'égalité par rapport à x, en considérant y comme une fonction dérivable de x.
2. Regrouper tous les termes contenant $\frac{dy}{dx}$ du même côté de l'égalité.
3. Mettre $\frac{dy}{dx}$ en évidence et effectuer une division afin d'isoler $\frac{dy}{dx}$.

F DÉRIVATION LOGARITHMIQUE

Soit une fonction de la forme $y = f(x)^{g(x)}$, où $f(x) > 0$. Alors on obtient $\frac{dy}{dx}$ à l'aide de la dérivation logarithmique :

1. Appliquer le logarithme naturel à chaque membre de l'équation.
2. Utiliser les propriétés des logarithmes pour décomposer les membres de l'équation.
3. Dériver implicitement par rapport à x.
4. Isoler $\frac{dy}{dx}$.

La dérivation logarithmique peut aussi être très utile lorsqu'on doit dériver des fonctions de la forme $y = \frac{f_1(x)f_2(x)\cdots f_n(x)}{g_1(x)g_2(x)\cdots g_m(x)}$, où $f_i(x) \neq 0$ pour $i = 1, 2, ..., n$ et $g_k(x) \neq 0$ pour $k = 1, 2, ..., m$.

G THÉORÈMES

- Si $f(x)$ est une fonction dérivable en $x = a$, alors elle est continue en $x = a$.
- Si $y = f(u)$ est une fonction dérivable par rapport à u et si $u(x)$ est une fonction dérivable par rapport à x, alors y est une fonction dérivable par rapport à x, et $\frac{dy}{dx} = \left(\frac{dy}{du}\right)\left(\frac{du}{dx}\right)$.
- Si $x = f(y)$ est une fonction dérivable par rapport à y et si y est une fonction dérivable par rapport à x, alors $\frac{dy}{dx} = \frac{1}{dx/dy}$ là où $\frac{dx}{dy} \neq 0$.

XI TAUX LIÉS

Dans un problème de taux liés, on veut évaluer le taux de variation par rapport au temps d'une variable qui dépend d'autres variables, elles-mêmes fonction du temps, et dont on connaît les différents taux de variation. Ainsi, par exemple, si y est fonction de u, de v et de w, et si u, v et w sont fonctions de t, on cherche à mesurer $\frac{dy}{dt}$ lorsqu'on connaît $\frac{du}{dt}$, $\frac{dv}{dt}$ et $\frac{dw}{dt}$.

Pour résoudre un problème de taux liés, nous vous recommandons d'utiliser la stratégie suivante. Selon le contexte, certaines étapes peuvent être omises.

1. Lire attentivement le problème et nommer les différentes variables en jeu. S'il y a lieu, esquisser un schéma et y consigner les variables.
2. Écrire les informations connues (les taux de variation, les valeurs des variables, etc.) et déterminer le taux cherché. Notez que les unités de mesure permettent d'établir certains taux. Ainsi, une expression dont les unités sont m^2/s indique qu'il s'agit d'une variation d'aire par rapport au temps. De même, une expression dont les unités sont L/h signale une variation de capacité par rapport au temps.
3. Écrire une équation liant les variables en jeu en faisant appel à la géométrie (formules de volume et d'aire, théorème de Pythagore, comparaison des côtés dans des triangles semblables, définitions des fonctions trigonométriques, relations entre les fonctions trigonométriques, etc.) ou encore aux conditions décrites dans le problème. L'équation doit contenir uniquement les variables présentes dans les taux de variation connus et le taux de variation cherché.
4. Dériver implicitement l'équation obtenue par rapport au temps. On obtient alors une équation liant les taux de variation connus et le taux de variation cherché.
5. Isoler le taux de variation cherché, puis l'évaluer à la valeur demandée.

Dans les problèmes de taux liés, il est important de ne pas remplacer les variables par des valeurs numériques avant d'avoir effectué la dérivation, à défaut de quoi on obtiendrait la dérivée d'une constante, soit une dérivée nulle.

XII DIFFÉRENTIELLE

A DÉFINITION ET INTERPRÉTATION GÉOMÉTRIQUE

Soit $y = f(x)$ une fonction dérivable de x et soit Δx une variation de la variable indépendante x.

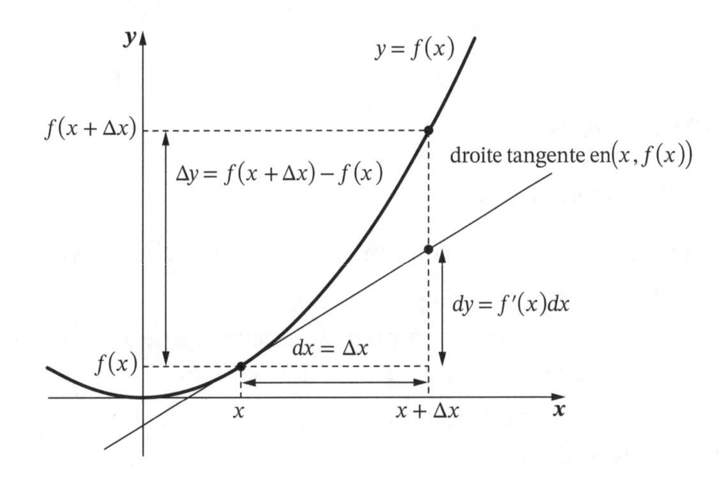

Alors, la différentielle dx correspond à Δx, et la différentielle dy, définie par $dy = f'(x)dx$, représente une bonne approximation de la variation de la variable dépendante, soit $\Delta y = f(x + \Delta x) - f(x)$, à la suite d'une faible variation Δx de la variable indépendante.

B VARIATION ABSOLUE ET VARIATION RELATIVE

Soit la fonction $y = f(x)$. Alors, une faible variation (absolue) $\Delta x = dx$ ou relative $\frac{\Delta x}{x} = \frac{dx}{x}$ de la variable indépendante x provoque une variation de la variable dépendante y.

On peut utiliser les différentielles pour estimer la variation (absolue) Δy de la variable dépendante y par dy, c'est-à-dire $\Delta y \approx dy$, ou sa variation relative $\frac{\Delta y}{y}$ (qu'on exprime généralement en pourcentage), par $\frac{dy}{y}$, c'est-à-dire $\frac{\Delta y}{y} \approx \frac{dy}{y}$.

C INCERTITUDE ABSOLUE ET INCERTITUDE RELATIVE

Les différentielles peuvent également servir à estimer l'incertitude (absolue ou relative) d'une expression $y = f(x)$ obtenue à partir d'une mesure x présentant une incertitude (absolue) de $\Delta x = dx$ ou une incertitude relative de $\frac{\Delta x}{x} = \frac{dx}{x}$. Ainsi, l'incertitude absolue sur y est donnée par dy et l'incertitude relative (exprimée en pourcentage) est donnée par $\frac{dy}{y}$.

D APPROXIMATION LINÉAIRE

La droite tangente à la courbe décrite par la fonction $y = f(x)$ en $(x, f(x))$ représente l'approximation linéaire de la fonction en ce point et peut être utilisée pour approximer la valeur de la fonction près de ce point. Ainsi, $f(x + \Delta x) \approx f(x) + dy = f(x) + f'(x)\Delta x$ ou de manière équivalente, $f(x + dx) \approx f(x) + f'(x)dx$.

E FORMULES

Si u et v sont des fonctions dérivables de x, et si n et k sont des constantes, alors :

1. $d(k) = 0$
2. $d(ku) = kdu$
3. $d(u \pm v) = du \pm dv$
4. $d(uv) = udv + vdu$
5. $d\left(\frac{u}{v}\right) = \frac{vdu - udv}{v^2}$
6. $d(u^n) = nu^{n-1}du$

XIII OPTIMISATION

A THÉORÈMES

1. Soit une fonction $f(x)$ continue sur un intervalle I et dérivable en tout point intérieur de l'intervalle I.
   - Si $f'(x) > 0$ pour tout point intérieur $x \in I$, alors la fonction $f(x)$ est croissante sur l'intervalle I.
   - Si $f'(x) < 0$ pour tout point intérieur $x \in I$, alors la fonction $f(x)$ est décroissante sur l'intervalle I.

2. Si la fonction $f(x)$ est continue sur un intervalle I et si $c \in I$ est tel que $f(c)$ est un extremum relatif de la fonction $f(x)$, alors c satisfait à l'une des deux conditions suivantes:
   - c est l'une des extrémités de I.
   - c est une valeur critique de la fonction $f(x)$, c'est-à-dire que $c \in \text{Dom}_f$ et que $f'(c) = 0$ ou $f'(c)$ n'existe pas.
3. Soit une fonction $f(x)$ continue sur un intervalle $]a, b[$ et soit $c \in]a, b[$ une valeur critique de la fonction $f(x)$, c'est-à-dire que $c \in \text{Dom}_f$ et que $f'(c) = 0$ ou $f'(c)$ n'existe pas.
   - Si le signe de $f'(x)$ passe de positif à négatif en $x = c$, c'est-à-dire si la fonction $f(x)$ passe de croissante à décroissante en $x = c$, alors $f(c)$ est un maximum relatif de la fonction $f(x)$.
   - Si le signe de $f'(x)$ passe de négatif à positif en $x = c$, c'est-à-dire si la fonction $f(x)$ passe de décroissante à croissante en $x = c$, alors $f(c)$ est un minimum relatif de la fonction $f(x)$.
   - Si $f'(x)$ ne change pas de signe en $x = c$, c'est-à-dire si $f'(x) < 0$ ou si $f'(x) > 0$ sur des intervalles à gauche et à droite de c, alors $f(c)$ n'est pas un extremum relatif de la fonction $f(x)$.
4. Soit une fonction $f(x)$ continue sur un intervalle $[a, b]$.
   - S'il existe $c \in]a, b[$ tel que $f'(x) > 0$ [respectivement $f'(x) < 0$] pour tout $x \in]a, c[$, alors $f(a)$ est un minimum relatif (respectivement un maximum relatif) de la fonction $f(x)$.
   - S'il existe $d \in]a, b[$ tel que $f'(x) < 0$ [respectivement $f'(x) > 0$] pour tout $x \in]d, b[$, alors $f(b)$ est un minimum relatif (respectivement un maximum relatif) de la fonction $f(x)$.
5. Si la fonction $f(x)$ est continue sur un intervalle fermé $[a, b]$, alors la fonction admet un maximum absolu et un minimum absolu sur cet intervalle. De plus, le maximum absolu et le minimum absolu de la fonction sont respectivement la plus grande et la plus petite valeur de l'ensemble des valeurs $f(a)$, $f(b)$ et $f(c)$, où c est une valeur critique de $f(x)$ sur $]a, b[$.

B MARCHE À SUIVRE POUR RÉSOUDRE UN PROBLÈME D'OPTIMISATION

Pour résoudre un problème d'optimisation, nous vous recommandons d'utiliser la stratégie suivante. Selon le contexte, certaines étapes peuvent être omises.

1. Lire attentivement le problème et nommer les différentes variables en jeu. (S'il y a lieu, esquisser un schéma et y consigner les variables.)
2. Déterminer la variable à optimiser.
3. Exprimer la variable à optimiser (la variable dépendante) en fonction d'une seule autre variable (la variable indépendante).
4. Déterminer le domaine de la fonction à optimiser, c'est-à-dire les valeurs de la variable indépendante qui sont plausibles dans le contexte.
5. Dériver la fonction à optimiser.
6. Déterminer les valeurs critiques de la fonction à optimiser qui font partie du domaine.
7. Si la variable dépendante est définie sur un intervalle fermé, l'extremum cherché est atteint à l'une des valeurs critiques ou à l'une des extrémités de l'intervalle. Si la variable est définie sur un intervalle qui n'est pas fermé, une étude de la croissance et de la décroissance de la fonction autour d'une valeur critique permet généralement de déterminer si celle-ci produit un maximum ou un minimum.
8. Répondre à la question posée dans l'énoncé du problème.

XIV TRACÉ DE COURBES

L'analyse complète d'une fonction $f(x)$ comporte sept étapes.

1. Détermination du domaine de la fonction

   Le domaine de la fonction $f(x)$ correspond à l'ensemble des valeurs de la variable indépendante x pour lesquelles la fonction est définie, c'est-à-dire pour lesquelles il est possible de l'évaluer. À titre d'exemple, ne font pas partie du domaine d'une fonction, les valeurs de la variable indépendante qui annulent le dénominateur d'une fraction, les valeurs pour lesquelles l'argument d'une fonction logarithmique n'est pas positif et les valeurs qui rendent négative l'expression sous un radical $n^{\text{ième}}$ lorsque n est pair.

2. Recherche des asymptotes

   Une asymptote est une droite dont la distance aux points d'une courbe tend vers zéro lorsqu'on laisse un point sur la courbe s'éloigner de l'origine à l'infini.

   La droite $x = a$ (où $a \in \mathbb{R}$) est une asymptote verticale à la courbe décrite par la fonction $f(x)$ si au moins une des deux limites $\lim_{x \to a^-} f(x)$ ou $\lim_{x \to a^+} f(x)$ donne ∞ ou $-\infty$. Les valeurs de a susceptibles de produire une asymptote verticale sont notamment celles qui annulent le dénominateur d'une fraction ou celles qui annulent l'argument d'un logarithme.

   La droite $y = b$ (où $b \in \mathbb{R}$) est une asymptote horizontale à la courbe décrite par la fonction $f(x)$ si $\lim_{x \to \infty} f(x) = b$ ou si $\lim_{x \to -\infty} f(x) = b$.

3. Détermination de l'ordonnée à l'origine et des zéros de la fonction

   L'ordonnée à l'origine d'une fonction $f(x)$ est la valeur de $f(0)$ lorsque $0 \in \text{Dom}_f$. Dans un graphique, l'ordonnée à l'origine d'une fonction est l'ordonnée du point d'intersection de la courbe décrite par la fonction $f(x)$ et de l'axe vertical.

   Un zéro d'une fonction $f(x)$ est une valeur $x \in \text{Dom}_f$ pour laquelle $f(x) = 0$. Dans un graphique, un zéro d'une fonction est l'abscisse d'un point d'intersection de la courbe décrite par la fonction $f(x)$ et de l'axe horizontal.

4. Détermination des valeurs critiques de la fonction

   Les valeurs critiques de la fonction $f(x)$ sont les valeurs de la variable indépendante x appartenant au domaine de la fonction pour lesquelles la dérivée $f'(x)$ est nulle ou n'existe pas.

5. Détermination des valeurs susceptibles de produire des points d'inflexion

   Un point d'inflexion est un point de la courbe décrite par la fonction où on observe un changement de concavité. Les points d'inflexion peuvent se produire aux valeurs du domaine de la fonction pour lesquelles la dérivée seconde $f''(x)$ est nulle ou n'existe pas.

6. Construction du tableau des signes

   Le tableau des signes est un tableau synthèse dans lequel on consigne notamment les valeurs de la variable indépendante x correspondant aux asymptotes verticales de la fonction $f(x)$, ainsi que les valeurs critiques de $f(x)$ et les valeurs de x susceptibles de produire un point d'inflexion.

   Grâce aux signes des dérivées première et seconde, on peut déterminer les intervalles de croissance $[f'(x) > 0]$ et de décroissance $[f'(x) < 0]$, ainsi que les intervalles de concavité vers le haut $[f''(x) > 0]$ et de concavité vers le bas $[f''(x) < 0]$ de la fonction $f(x)$.

Ce tableau permet également de repérer les extremums (maximums ou minimums, relatifs ou absolus) de la fonction, de même que les points d'inflexion, soit les points où la fonction est définie et où elle change de concavité.

7. Esquisse de la courbe décrite par la fonction

   À partir des informations obtenues dans les étapes précédentes, et notamment à partir des informations contenues dans le tableau des signes, on peut tracer une esquisse de la courbe décrite par la fonction $f(x)$.

ISBN 978-2-7661-5736-5

ERPI